D1096599

Bois du thé fort,
tu vas pisser drette !

DU MÊME AUTEUR

Comme une odeur de muscles, coll. «Paroles», Planète rebelle, Montréal, 2005
Il faut prendre le taureau par les contes, coll. «Paroles», Planète rebelle, Montréal, 2003
Dans mon village, il y a belle lurette…, coll. «Paroles», Planète rebelle, Montréal, 2001

Fred Pellerin

Bois du thé fort,
tu vas pisser drette!

Sarrazine
ÉDITION

Sarrazine Éditions
1116, rue Saint-Zotique Est, Montréal (Québec) H2S 1N3
Téléphone: (514) 279-0258 – Télécopieur: (514) 279-8408
Adresse électronique: info@michelinesarrazin.com
Site web: www.michelinesarrazin.com

Directrice littéraire: Micheline Sarrazin
Correction: Élaine Parisien
Conception graphique de la page couverture: Mélanie Goyet
Conception graphique des pages intérieures: Édiscript enr.
Dessins: Mélanie Goyet
Photo de l'auteur: Laurence Biron
Photos de Toussaint Brodeur: Gracieuseté de la Famille Brodeur
Impression: Imprimerie Gauvin Ltée

Distribution en librairie:
Diffusion Dimédia inc., 539, boulevard Lebeau
Ville Saint-Laurent (Québec) H4N 1S2
Téléphone: (514) 336-3941 – Télécopieur: (514) 331-3916
Site web: www.dimedia.qc.ca

Dépôt légal: 2e trimestre 2005
Bibliothèque nationale du Québec
Bibliothèque nationale du Canada
ISBN: 2-9808947-0-2

Deuxième tirage

Merci à Michel, André, Jacques, Paul et Jean-Pierre Brodeur, fils du fameux,

à Miss Mélo Roxanne Bouchard,

à Mélanie Goyet en couleurs,

à mon père André Pellerin,

à André Garant, Eugène Garand, Steve Branchaud, Micheline Sarrazin, Martine Thibault, Denise Arsenault, Isabelle Laferrière, Janou Gagnon…

Et à plusieurs autres que je n'oublie pas.

Table des matières

« L'acte subversif d'aujourd'hui, c'est la générosité. »

Lorent Wanson

« Ce que je crains n'est rien en regard de ce que j'espère. »

Éric-Emmanuel Schmitt

« Bois du thé fort, tu vas pisser drette ! »

Toussaint Brodeur

Introduction

M'sieur Brodain Tousseur – ou Toussaint Brodeur, selon le degré de dyslexie – fut un personnage original dont les tours d'esprit hantent les souvenirs du village de Saint-Élie-de-Caxton. Il fut, par métier, un marchand général très particulier. Petit inventaire, mais grand inventeur! Il tenait tout ce qu'il ne vous fallait pas, et encore plus. Il vous cuisinait de la vente sous passion, en mélangeant le sens des affaires au sens de l'humour. Il fut l'un des rares.

– C'est des allumettes garanties que je vous vends. Je le sais parce que j'ai pris le temps de toutes les essayer une par une !

De la génération des tireurs de diable par la queue, il prôna le bonheur quotidien par un regard philosophique démanché. Il fut de ceux qui gonflèrent le raisonnement alternatif jusqu'à le faire péter de lui-même. Comme un enfant qui souffle ses ballounes de gomme à l'extrême. Souvent, chez Brodain, ça faisait éclore une fleur d'idée qui vous pendillait au bout du nez. Et si personne ne l'a encore comparé à Confucius ou à Nasr Eddin, c'est parce qu'on n'avait jamais entendu parler de ces gars-là. Autrement, on aurait tôt fait de l'inscrire sur la grande liste des penseurs colorés.

Pour avoir trempé dans une époque où les tendances domineuses et vobiscum planaient sur les têtes, il s'amusa à démontrer que le doigt de l'Église ne constituait pas la seule direction à suivre. En grand négociateur métaphysique, il sut offrir de l'espoir quand les promesses devenaient trop floues.

Encore de nos jours, plusieurs années après sa mort, il continue de nous faire sourire par des traces débiles et indélées. À Saint-Élie-de-Caxton, la mémoire de M'sieur Tousseur reste vive et la maison qui fut sienne est toujours là, assise stratégiquement à la rencontre des rues Saint-Jean et Principale. Il demeure une figure dont le sourire ne part pas au lavage.

Brodain Tousseur, c'est une légende qui ne demande aucune exagération pour se suffire. Ses histoires, je les ai eues de ses fils en aiguille, de ses amis, de ceux qui l'ont côtoyé. Je vous les tends pour presque rien. Pas parce que je suis généreux, mais parce qu'elles ne sont même pas à moi !

Le légume qui fait rire

La pensée magique d'un homme, pour pieux qu'il soit, espère toujours et rêve de mieux. À ce titre, dans le village, Brodain Tousseur figurait comme le président de l'optimisme. Il regardait la vie en farce pour sa propre consolation personnelle et avait une forte tendance à déteindre de courage sur son entourage. Sa grande doctrine souriante, ce fut celle du «Bon Dieu qui voit en double » selon laquelle l'univers fonctionne par paires de deux contraires. Ça donne une conception du monde bi-dulaire qui veut que le réel se gère en deux colonnes comptables dont les plus et les moins s'équivalent à la somme. Bref, une théorie comme bien d'autres qui, au cumulatif, ne mène à rien.

S'échafaudant l'argument sur la galère à Noé, celui-là même qui avait compris la nécessité de l'accouplement des différences pour s'auto-descendre, Brodain prétendait que chaque torchon trouve sa guenille. Aussi, comme le mâle et la femelle se complètent, il admettait que l'ombre n'apparaît jamais sans la lumière. Il en extrapolait d'autant pour les hauts et les bas, les courts et les longs, les peines et les joies. Placé devant l'oignon qui fait pleurer, il arrivait même à prouver l'existence d'un légume compensatoire…

**

Par une nuit de 1920, le village ronflait comme une fournaise et expirait des bouffées d'aise dans les cheminées calmes. Un peu passées les minuits, le coq d'Eugène chanta le lever du jour. La vieille église de planches éclairait la noirceur d'un brasier digne des aubes. Les cloches de feu sonnèrent l'urgence. L'alerte au pas de course transporta la paroisse et les chaudières au-devant des flammes. Ça prit des allures si grandes qu'on eût dit que le soleil était tombé. La volonté tenta fort, mais le peu d'eau n'y put rien. Aux aurores, le soleil se relevant, tout fut sombre. Ne restait que des cendres. On ne revit même plus le vieux curé.

Les premiers soupçons sur les origines de l'incendie pesèrent sur le système de chauffage au bois. Brodain Tousseur, pour sa part, tint tête aux hypothèses en vantant le mérite de ses allumettes dont le prix en profita pour augmenter avec mention d'efficacité prouvée. Par compromis, et parce que les absents ont tort, on s'entendit finalement pour attribuer l'étincelle fautive au très très vieux curé.

– Il avait l'air de s'éteindre, ces derniers temps !

Le voyant faiblir dans l'âge, c'en était rendu qu'il fallait se relayer auprès de lui pour le faire sursauter en continu. Pour le garder vigoureux, on devait le maintenir en état de choc permanent !

– Il ressemblait à un tic nerveux !

À cause de ses tremblements et d'une somme de facteurs incontrôlables, on le déduisit flambant. On fit un rapport de perte à l'évêché avec mention d'attachement profond du vieux curé pour son église, mais de manque de réflexes évident. L'évêque sympathisa et remplaça le disparu. On nous envoya un morceau luisant, fraîchement cueilli. Il n'avait que 27 ans.

– Vous êtes neuf ?
– Oui. Trois fois !

Il rit ! Ce fut la seule fois qu'il versa dans l'humour et on ne sut même pas que c'en était, faute de multiplier assez vite.

Ce qui frappa, à première vue, ce fut le contraste dans la passation. On avait connu un curé maigre sec ; on nous en offrait un gros suant. L'ancien était plissé ; le nouveau, lisse. Le vieux, sourd ; le jeune, myope. Un mince ; un épais, et encore… Comme un reflet inversé, une photocopie d'antipode, une paire de deux contraires.

Évidemment que durant les jours qui suivirent l'arrivage du poids, les placotages allèrent bon train. Chaque paroissien lança ses suppositions sans fondement et ses estimations gratuites. On évalua le nouveau patron, on lui traça le portrait qu'il porterait pour le restant de ses jours. On fouilla son passé, sa famille et son petit caté- chisme. Et quand vint le temps de parler de vœu de chasteté, on tomba facilement dans le serment de gosses! Cet humour-là, on le comprenait! On se l'appropria vite, notre nouveau. À son insu, on distorsionna son profil de manière à se le rendre le plus reconnaissable possible.

Pendant ce temps, soucieux de se conserver les âmes saines, le curé neuf lança son plan d'intervention. Sa première manœuvre consista à dégainer un confessionnal de secours. Dans une esthétique de toilette sèche, faute d'église, il sacrifia sa bécosse personnelle pour s'improviser un cabinet à confesses derrière le presbytère. Son premier visiteur, à travers le grillage d'aération, ce fut Brodain l'unique.

– Mon père, je m'accuse d'avoir volé une poche de patates.

(Au moment de se confesser, Brodain n'avait encore pas volé puisque le temps des récoltes n'était pas venu. Par prudence, toutefois, et avant de se servir, il préférait s'informer de la pénitence à rembourser, advenant le cas. Brodain vendait toujours la peau de l'ours avant de le tuer. Ça lui évitait de travailler pour rien.)

– Mon père, je m'accuse d'avoir volé une poche de patates.

– Sont-ce mes patates ?

– Non, m'sieur le curé, ce sont-ce celles d'Irène.

(Il ne fut pas le seul à se servir dans les tubercules patateux d'Irène. Elle avait l'habitude de consacrer la moitié de sa surface potagère à ce légume. Elle perdait bien une grosse partie de ses recettes en disparitions mystérieuses, mais on la consolait avec le principe universel qui veut que «rien ne se perd, rien ne se crée, tout se mange !».)

– Mon père, je m'accuse d'avoir volé une poche de patates.

— Sont-ce mes patates?

— Non, m'sieur le curé, ce sont-ce celles d'Irène.

— Un seul sac z'ou pluzieurs?

(Du temps du vieux curé, tous ceux qui avaient osé se servir n'ambitionnaient jamais. On s'autorisait une poche de patates au maximum. En effet, sous l'ancien régime alimentaire, ça prenait deux mois de pénitence pour chaque sac. Du coup, certains préféraient cultiver eux-mêmes.)

— Mon père, je m'accuse d'avoir volé une poche de patates.

— Sont-ce mes patates?

– Non, m'sieur le curé, ce sont-ce celles d'Irène Philibert.

– Un seul sac z'ou pluzieurs ?

– Rien qu'un seulement. En plus que c'était des petites…

– Z'alors, comme pénitence, vous devrez réciter cinq chapelets.

Brodain s'échappa d'un rire et se glissa hors d'ondes. Ce soir-là, il prononça dix chapelets et s'empressa, aux premiers arrachages, de subtiliser deux poches. Le marché de la patate reprenait bon cours. La nouvelle se répandit tant vite et si bien qu'au gros de la récolte, tout le village se nourrit à la terre pommise. À Saint-Élie-de-Caxton, en 1921, la seule personne à ne pas avoir goûté aux patates d'Irène, ce fut Irène elle-même. À cette idée, en épluchant leurs pommes de terre, les gens ne pouvaient s'empêcher de sourire.

* *

– Pour chaque tristesse, il y a une joie de cachée quelque part !

La théorie de Brodain, ça fonctionnait autant dans la vie qu'avec les légumes. D'ailleurs, par soif d'espoir, certaines gens du coin, encore aujourd'hui, en viennent à se souhaiter de la misère juste pour rêver des plaisirs à venir.

Le chemin pavé de bonnes inventions

Le relief ne ment pas. À Saint-Élie-de-Caxton, parce qu'on fonctionne en bipolarité, il y a le haut de la côte et le bas de la côte. Le village est coupé en deux par une déclinaison. Cette frontière penchante, avec le temps, est devenue une référence géographique, mais aussi un point de rencontre ou de chicanage, selon l'angle avec lequel on l'aborde.

Pendant longtemps, la côte fut laissée à elle-même. Puis, un jour, des travaux de voirie vinrent atténuer la raideur de la pente.

**

Suivant l'ordre des choses, le curé neuf évolua jusqu'à bientôt traverser une zone de haute pression pour carence de messes. On n'eut d'autre choix que de mettre en branle le chantier de construction de l'église nouvelle. En plein cœur du village, sur le haut de la côte, on échafauda sur les cendres encore boucanantes des souvenirs. S'élevèrent des murs de pierres empruntées à la montagne que l'on coiffa d'une solide couverture de tôle. En coups de corvées sur quelques mois, on en vint vite à la finition. Quelques fioritures et tout fut prêt.

À l'inauguration officielle, le village en entier fut là, massé dans la cour du devant. Les cloches sonnèrent pour la toute première fois. Le coq d'Eugène, qui perdait son monopole d'Angélus, mais conservait son esprit sportif, répondit d'un échocorico. Dans le silence solennel qui suivit, on put savourer l'ouverture des portes centrales de l'égliiiiiiise.

– Les pentures manquent d'huile…

La chorale longtemps tue se dérhuma et bientôt, sur des harmonies glorieuses, on vit s'avancer le maître à bord d'un nuage d'encens. Le curé se planta au milieu du parvis neuf et regarda la foule d'un air myope. Du monde à perte de vue ! Il prit un grand respir, retint le torse bombé, et expulsa un discours de cérémonie. Il parla fort, il se félicita pour le travail des autres et, finalement, il imposa à chacun désireux d'entrer dans la nouvelle église de passer par la confesse intégrale.

– Le plancher n'est pas z'étrenné, alors z'il faut s'essuyer les z'âmes z'avant de rentrer !

La foule docile se plaça en rang devant les portes du confessionnal rénové pour s'accuser de tous les torts et travers.

**

Ce qu'il faut savoir, c'est que, sous le règne du vieux curé, le village s'était niché dans des habitudes confortables. Avec les années, la complicité avait permis aux paroissiens de se dégourdir les mœurs.

– Mon père, je m'accuse de m'être enfargé dans la côte!

Cette formule confessatoire, c'était un code pour avouer son infidélité. Les vieilles oreilles du confesseur d'alors ne toléraient plus de se faire souiller par des folies impures. On évoquait donc le «trébuchage» plutôt que le «découchage». Les pénitents, par souci de nettoyage des consciences, s'accusaient de «s'enfarger dans la côte» quand ils «sautaient la clôture». De cette manière, on avouait, mais sans trop dire, et personne n'en souffrait.

Avec l'arrivée du curé neuf, personne n'osa s'avouer les péchés graves en confession. Habitué à l'ancien, qui souffrait de surdité importante, tout le monde se méfia du nouveau. Plutôt que de s'avouer le compromettant dans une oreille comprenante, on joua de prudence. Ainsi, jusqu'à ce jour inaugural, très peu de gens avaient osé braver le confessionnal de secours. Les plus courageux ne s'étaient confiés qu'à demi, ne déclarant que leurs plus petites pécheries. Toutefois, parce que chacun voulait fouler les planches de l'église neuve, la paroisse n'avait maintenant d'autre choix que de plier du genou sur l'accotoir confussionnel. Le grand ménage!

**

La filée de monde était longue et on en avait épais sur l'âme. La queue usait de patience. Le repentir de l'un succédait à la contrition de l'autre. On s'emboîtait les accusations, les mortifications et les excuses, jusqu'à ce que vienne le tour d'un dénommé (dont je tairai le nom pour permettre les soupçons).

— Mon père, je m'accuse de m'être enfargé dans la côte!

Cet incognito renouait avec la figure de style. Le nouveau curé, de son côté, ignorait tout des anciennes tendances métaphoriques. Au premier degré, l'enfargement lui parut un remords sans fondement. Il n'en tint pas rigueur.

– Soyez prudent z'à l'avenir !

La suite continua de circuler, goutte à goutte, par le filtre du confessionnal.

– Mon père, je m'accuse de m'être enfargée dans la côte !

Les réminiscences ressurgirent du passé chez plusieurs confiants et confiantes. Et si, au début, ça parut singulier, au bout d'un quart d'heure, ça pluriellait. On comptait déjà une demi-douzaine de personnes à s'avouer l'enfargeage. À la longue, ça inquiéta le curé neuf qui, en quête de comprenure, afficha son «retour dans quinze minutes» pour aller jeter un œil à la côte. Il n'y trouva aucune matière à choir. De retour au poste, il continua de se surprendre du nombre croissant de basculages.

Les jours et semaines s'accumulèrent. Le phénomène des culbutes paroissiales demeura assidu malgré les insistances des sermons sur la modération dans les transports. Même Brodain Tousseur, comme plusieurs autres qui n'adultaient même pas, fit mine de s'étendre pour pécher par l'exemple. Les chavirages devinrent un fléau et le curé neuf n'eut d'autre choix que d'intervenir au niveau concret de l'épidémie. Il ouvrit son chéquier et décida de financer les travaux d'amélioration de la côte. Les moyens furent pris pour que les paroissiens marchent plus droit : on atténua la raideur de la pente et on badigeonna de goudron.

**

Voilà comment la côte est devenue moins à pic. Le problème, c'est que ça ne s'arrêta pas là. La capacité d'adaptation rurale dépassant les frontières de la garnotte, dans les semaines qui suivirent, d'autres bouts de chemin furent retouchés. Et chaque kilomètre de rafistolage nous permit de suspecter quelques nouvelles infidélités camouflées. Plusieurs en firent de l'insomnie.

– Depuis que le marchand de sable vend de l'asphalte, on dort beaucoup moins bien!

Il en fut ainsi et de suite. À Saint-Élie-de-Caxton, en moins de temps qu'il n'en faut pour obtenir un octroi du gouvernement, toutes les rues du village furent bitumées sur le bras long de l'ecclésiastique.

De nos jours, malgré les nombreuses réfections de sols, atténuations de pentes et réasphaltages en normes, certains nostalgiques réussissent encore à s'enfarger dans notre côte. Pour sa part philosophique, Brodain Tousseur a toujours maintenu que la chute, ce n'est pas juste la faute du chemin.

Oui, je le vois !

Le progrès n'échappant pas à la règle divine des paires d'inversés, les premières photos couleurs se développaient en même temps que l'asphalte noir dans nos paysages villageois. À cette époque, Saint-Élie-de-Caxton comptait déjà plusieurs années de vie colorée, mais, s'appuyant sur toutes ces images de cartes postales sépia qui venaient d'ailleurs, on avait fini par croire qu'on était les seuls à jouir d'un quotidien pigmenté. Par empathie pour le reste du monde, et malgré les avancements techniques, Brodain avait tenu à ce que sa photo de mariage soit prise en noir et blanc.

— De toute manière, la couleur, c'est dans les yeux de celui qui regarde.

Sur le portrait, on peut voir les mariés entourés d'une foule nombreuse sur le parvis de l'église. Tout le monde sourit, sauf le curé…

* *

La première rencontre de Brodain avec celle qui était devenue sa femme remontait à quelques mois. Le tour s'était joué sur le plaisir de la chair tendre, la bonne et la plus répandue : la baloney.

Ce jour-là, revenant de la confesse, il l'avait aperçue. Installée confortablement sur sa galerie familiale, elle savourait sa collation d'après-midi. Le billot sur les genoux, de ses mains minuscules mais fermes dans l'ouvrage, elle taillait et dégustait quelques douces tranches de viande goûteuse. Brodain avait été accroché par le ventre. Par extension, ses yeux tombèrent directement sur ses lèvres à elle.

– Bonjour, mamoiselle !

– Non ! qu'elle avait répondu.

Elle savait qu'en répondant « bonjour », il allait venir s'asseoir près d'elle. Elle savait aussi qu'une fois là, il passerait des mots à la bouche.

– Je le sais que tu veux la viande tout de suite! J'aime mieux te répondre «non» plutôt que te faire saliver!

Vlan! Au-delà d'une passion commune pour la baloney, il se découvrait une âme sœur du raisonnement spirituel, une alter égale de la pensée. Bien sûr qu'il avait passé son chemin sans rechigner… Mais au soir tombé, sûr de son coup et de sa foudre, il était revenu sous la fenêtre de la belle bouchère avec son propre rouleau de mets favori. Elle l'avait accueilli à bouche ouverte.

Dans les semaines qui suivirent, comme abonnés de baloney, leurs rencontres et rendezvous devinrent galants. Non seulement la chair est faible, mais comme l'appétit vient facilement à ceux qui mangent, on parla bientôt des alliances. Et vint le grand jour du mariage…

**

– Oui, je le veux !

La coutume voulant qu'ils s'embrassent devant l'assemblée, Brodain et sa belle s'y mirent avec passion. Ils se goûtèrent goulûment, comme des affamés de festin rose. Ça dura long-temps, longtemps… Jusqu'à épuiser toutes les minutes disponibles à la patience de l'Église. Un rouleau d'amour… que le curé trancha ! Comme ça, au beau milieu de la célébration maritale, il explosa d'un sermon inespéré.

– Z'ASSEZ !

Avec le temps, le curé avait perdu en régularité dans le régurgitage discursif. On ne se rappelait même plus sa dernière scène. Toutefois, allumé par le baiser exagéré, il profita du moment de nef pleine pour prêcher à succès.

– Z'ASSEZ DE SE SALIR LES Z'YEUX Z'AVEC DE LA TENDRESSE Z'EFFRÉNÉE SUR LA PLACE !

En plus qu'on se trouvait dans un de ces mai où la tenue vestimentaire raccourcit par les deux bouts, il monta de lait sur l'intimité des mœurs. Il pointa en colère ces robes z'ajustées qui mettent le feu z'aux z'aines et ces jupes trop courtes qui z'allongent la faim.

– Z'IL Y A DES LIMITES Z'À L'EAU DANS LA CAVE !

Il blâma la frivolité, mit en garde contre le délurage boursouflé et, pour finir, dénonça avec dégoût ces gens qui s'embrassent z'et se caressent les chairs dans les lieux publics. Le curé termina l'office d'une traite, dans un latin déclinant.

– Z'À L'AVENIR, JE NE VEUX PLUS VOIR PERSONNE PORTER LA MAIN PLUS Z'HAUT QUE LA JARRETELLE !

**

Sur le perron de l'église, les nouveaux mariés furent encerclés d'un cortège nombreux pour la photo. Quand vint le temps pour l'oiseau de sortir, tout le monde souriait. Au premier plan se trouvait Brodain, bombé de fierté, la main collée sur la fesse de sa douce.

– ... PAS PLUS Z'HAUT QUE LA JARRE-TELLE!

– CLiC! –

Si on y met de l'attention, avec une loupe, on remarque que la mariée portait sa jarretelle autour du cou. C'est une image en noir et blanc, mais on peut jurer que la figure du curé tire sur le rouge.

La croupe à Blanche

À Saint-Élie-de-Caxton, bien avant l'invention de la télévision, on savait déjà que la vie en couleurs n'offrait pas que des avantages. On l'avait appris grâce aux nièces en cachette du curé, ces nièces temporaires que les rumeurs élevaient rapidement au rang de boules à mythes. L'année d'avant, il y avait eu Rose, dont la couleur avait été très appréciée. Puis on avait bientôt appris la présence de Blanche, cette fois-là pour les vacances d'hiver. Ledit oncle usait bien d'astuces et de ruses pour les dissimuler quand elles venaient, mais l'écorniflage perçait le camouflage. Les nouvelles secrètes sécrétaient vite. À Saint-Élie-de-Caxton, tout se sait. Et le reste, on se l'invente facilement!

**

Les histoires commencent souvent comme elles finissent. Cette fois-là, ç'a commencé le jour où le curé neuf a voulu plus d'intimité. Il avait fallu planter l'arbre devant le presbytère. Pour empêcher le monde de voir.

C'était une tige encore, autant en racines qu'en branches, que le bedeau avait sélectionnée parmi les friches disponibles et qu'on avait dressée au beau milieu de la cour. Avec l'impression prétentieuse d'un soleil pour elle seule, la repousse crût jusqu'à hêtre. Le temps pour un enfant de faire son cinq pieds, l'arbre en faisait déjà une trentaine. En l'espace d'un été, il devint centenaire. Sa tête couvrit grand et dissimula les fenêtres du curé. La vie privée comme prévue.

Le seul désavantage de cette croissance verte, c'était l'ombre qu'elle projetait. Ça débordait de la cible. Beaux dommages! Et des collatéraux! La lumière accomplissait son chemin de ciel chaque jour, mais on aurait dit de l'arbre qu'il en prenait le monopole. Il ne laissait rien pour les alentours. Aussi, ce pauvre bedeau, dont la propriété jouxtait celle du presbytère, se voyait maintenant confiné à vivre dans l'ombre. Quelques saisons dans l'angle du feuillage, et son jardin annuel n'arrivait même plus aux légumes vitaux. Ses récoltes avaient sombré en inversement proportionnel au développement des branches. Durant de longs mois, sa famille entière famina, ses enfants pâlirent par la disette et le cas déchéant. La zone n'en finissait plus de sinistrer. D'aucuns croient que les victimes durent même se résoudre à voler quelques poches de patates à Irène pour nourrir les leurs.

Dans un élan de rescousse, bientôt, Brodain se secoua. Mélangeant sa sympathie à son divertire, il organisa une collecte de fonds pour alimenter les démunis. Les bontés abondèrent, en oboles et bidoux. La cagnotte gonfla. À la fin, la somme fut tellement importante qu'on décida de ne pas la remettre aux affamés. On résolut d'investir sur les bedons plutôt que sur le bedeau. Le comité de bénévoles vira une brosse généreuse. La charité fut bien ordonnée!

Tout le monde soûl, mais encore éthique malgré l'éthylique, on se proposa de réfléchir.

– Ça cloche chez le bedeau!

Chacun s'y mit à trouver des solutions maraîchères aux martyrs. On passa d'un projet de déménageage du jardin à un calcul d'éclairage électrique de ses rangs de légumes. On inventa des soleils artificiels et des macédoines géantes. Les soirées de levage de coudes s'allongèrent sur quelques nuits puis, les recettes de la campagne épuisées, on coupa court à la question épineuse du feuillu.

– On a juste à dire au curé de le couper !

Sur-le-champ, on nomma un mandaté spécial du comité pour aviser le curé neuf de la décision unanime. Il se rendit au presbytère et revint sur le nerf.

– Il a répondu quoi ?

– Il a dit que l'évêché est contre l'étêtage épiscopal.

Aux grands moyens, les grands mots !

– Élipscopal ?

– Éclipse totale!

Avec un fond de révolte contre l'abus du pouvoir, le comité des aidants écrivit des lettres à tous les paliers du ciel pour demander l'autorisation de scier. On invoqua le pignon de la pyramide de Maslow pour démontrer que la nutrition passait en tête de liste, loin devant l'intimité. La Madame du bureau de poste licha les timbres de son mieux. Et on attendit.

Le curé et son hêtre suprême, chacun de leur côté de la fenêtre, conservèrent fière allure et têtes hautes pendant que Brodain et son concile dégrisaient en espérance des réponses. La boîte à malle demeura muette quelque temps et l'affaire finit par tourner en vain.

Comme toute bonne chose a une faim, le ventre du bedeau gargouilla de plus belle. Il entrevoyait une nouvelle année de misère. Au plus fort du malgré lui, il se projetait en septembre, toujours mâchant des feuilles de carottes, grugeant des pis de blé d'Inde. Le désespoir de cause pour seule réponse aux estomacs vides de ses enfants. La grande misère…

C'en fut bientôt trop. Ou pas assez. Dépendamment du point de vue.

**

Brodain ne savait pas tout du curé neuf, mais ce qu'il savait, il en usait. Aussi, parce que le bedeau continuait de se confier le malheur, Brodain prenait soin de lire les non-dits entre les branches. À la confesse du dimanche, il usa d'astuces forestières.

– Mon père, je m'accuse d'avoir regardé par une fenêtre interdite.

(Brodain ne s'était jamais véritablement enfargé dans la côte, mais pour en venir à l'arbre, le chemin le plus court demeurait la fenêtre.)

– Mon père, je m'accuse d'avoir regardé par une fenêtre interdite.

– Sont-ce ma fenêtre de chambre ?

– Non, m'sieur le curé, ce sont-ce la fenêtre du deuxième étage. Tous les soirs, après le souper, je grimpe sur les branches d'un arbre et puis j'espionne longtemps.

(Brodain n'était jamais monté dans l'arbre, mais pour en venir à la fenêtre, le chemin le plus court demeurait la nièce.)

– Mon père, je m'accuse d'avoir regardé par une fenêtre interdite.

– Sont-ce ma fenêtre de chambre ?

– Non, m'sieur le curé, ce sont-ce la fenêtre du deuxième étage. Tous les soirs, après le souper, je grimpe sur les branches d'un arbre et puis j'espionne longtemps.

– Z'et vous z'avez vu quelque choze z'en particulier ?

– Tous les soirs, je vois une jeune fille, belle et blanche, en train de se mettre au lit.

(Pour en venir à la nièce, le chemin le plus court, c'était l'oncle.)

– …

– Je suis pas capable de m'empêcher, mon père. Il faudrait interviendre…

(Est-ce que ce fut trop, ou pas assez? Chose sûre, ça scia le curé…)

* *

Les histoires finissent souvent comme elles commencent. Cette fois-là, ç'a fini le jour où le curé neuf a voulu plus d'intimité. Il avait fallu

couper l'arbre devant le presbytère. Pour empêcher le monde de voir.

* *

Bien avant l'invention de la télévision, on
savait déjà regarder par les fenêtres. À Saint-
Élie-de-Caxton, la vie est en couleurs depuis
longtemps.

La larme à l'œuf

– Mon père, depuis une semaine, il y a une meute de poules qui rôdent autour de mon chien !

– Et z'en quoi cela z'affecte-t-il votre z'âme ?

– Je me sens coupable, au cas où il arriverait malheur !

– Consolez-vous, m'sieur Tousseur ! Z'il appartient z'au propriétaire des poules d'assumer son troupeau.

– Et si mon chien décide de se défendre, est-ce que je serai dans le péché ?

– Z'aucunement, mon ami !

– Alors c'est pour vous dire, mon père, que mon chien a mangé toutes vos poules…

Le quota de pêche

Le mariage consommé, Brodain avait emménagé avec sa belle déjà ribambelle dans cette maison qui fait le coin Saint-Jean et Principale, en bas de la côte. Il avait installé son nid, refait la galerie sur la longueur de la devanture et ouvert son magasin général en consacrant le grand salon à l'étalage de ses stocks. On y trouvait de tout, même un tamis qui ne coûtait presque rien, mais dont les trous venaient en option, et des lacets de pied gauche et des pelles si peu chères qu'on n'avait pas le droit de pelleter ailleurs que dans la cour du magasin. Bref, chez les Tousseur, les amours, la famille et les affaires se portaient bien. La seule inquiétude qu'on pouvait se permettre, elle revenait de droit au curé : on n'avait pas vu Brodain à l'église depuis un mois…

* *

… depuis un mois, Brodain laissait pendre une ancre de bateau au bout du perron de son magasin. Pourquoi ? Surtout pour faire parler. Parce qu'au village, les histoires de pêche ont toujours eu la cote. Aussi, quand on annonçait la lecture des épîtres de la pêche miraculeuse à la messe du dimanche, tout le monde se promettait d'être là et d'arriver tôt pour avoir une bonne place. Soucieux de ses cotes d'écoute, à chaque fois, le curé prenait soin d'amplifier son récit pour multiplier ses effets. Avec les années, le nombre de poissons n'avait pas tellement changé, mais on se trouvait maintenant confronté avec des prises tellement grosses qu'il devenait difficile de les avaler.

— Moi, j'ai rien contre la quantité, mais c'est les grosseurs qui m'énervent !

Le seul à se rabrouer devant l'ampleur du récit, c'était Brodain. Lui-même à l'aise dans l'exagération du poisson, ça le vexait de voir de si énormes prises dans la bouche du curé. Pour s'éviter une chicane, il avait donc choisi de mettre de côté son esprit de clocher et de se rendre assister aux offices dans le village voisin, à Saint-Paulin.

Et l'ancre, donc? Pour les mêmes raisons que les rames sur ses rampes! Pêcheur viscéral, Brodain souffrait d'une peur bleue de la noyade et refusait de s'approcher de tout cours d'eau. Pour combler son sport, il naviguait donc des journées complètes, assis sur sa galerie, à se viser l'hameçon dans les trous de la garnotte de son entrée de cour. Bredouille un peu, mais pas moins pêcheur pour autant! Il savait que la qualité d'un homme se calcule souvent mieux à l'appât qu'à la proie.

**

Par un après-midi de calme plat, dans un temps idéal pour la bourlingue en hautes-terres, Brodain jouait de la mouche à crampons dans des flaques de bouette oubliées par le soleil. Il sifflotait un air marin, l'air chaland, dans un nautisme total. N'eût été des arbres, de la route, des maisons et de quelques enfants en bicycle à pédales, l'illusion maritime était parfaite.

Bientôt, scrutant le large, l'œil du marin sec se porta sur un point vague. En vigie vive, il plissa les sourcils et déduisit qu'avec de telles allures de matelas soufflé, il ne pouvait s'agir que du curé. Comme de fait… Il leva donc ses filets et lança un bonjour en bouée. L'homme de messe s'agrippa ferme à l'invitation et Brodain dut se tasser un peu pour faire monter l'équipage complet sur cette galerie flottante.

S'installant côte à côte, les deux amphibies effleurèrent la météo d'usage. Le curé se déversa bientôt dans une chaise capitaine, serré entre les accoudoirs comme si de rien étau. Brodain eut peur qu'il ne s'incruste. Pour couper court à la visite, il servit son thé trop longtemps trempé. Le curé goûta sans grimacer, alors Brodain crut bon d'ajouter un nuage de laid.

– Bois du thé fort, tu vas pisser drette !

Le curé fit cul sec et, loin de se déloger, tendit son anse à la réinfusion. Puisant d'inspiration dans la gorgée, il évangélisa en surface, d'abord, puis, tout à mesure que Brodain reprenait du moulinet, il se laissa dériver la jasure sur la fameuse pêche miraculeuse. Il vanta les prises bibliques, en taille et en qualité. Il se vanta toutes voiles dehors. Par chance, l'ancre tint bon.

La parabole coula dans un débit débordant, de chaloupes-trop-pleines z'en marchage-sur-les-z'eaux. Débouchant bientôt sur le principe que Dieu existe et qu'il est juste et bon et partout et ternel, Brodain profita du moment où le locuteur prenait une seconde gorgée de thé pour se permettre un commentaire.

— Moi, m'sieur l'curé, je veux bien croire que le bon Dieu est juste, mais à condition que tout le monde soit considéré comme niaiseux égal…

Le curé n'entendit rien. Pour épuiser le restant de sang-froid disponible chez son auditoire particulier, il ajouta à son laïus le témoignage d'une truite personnelle.

— La photo de ma truite, z'elle pezait douze livres !

Brodain frémit sous les disproportions. Lui qui se privait des messes dans son église locale pour éviter les abus de la pesanteur, il se voyait maintenant confronté sur son propre perron.

– Douze livres, la photo ? demanda-t-il, perplexe.

– Douze livres, assura le curé.

La limite était franchie. Brodain ne pouvait pas supporter si lourd. Malgré toutes les accusations d'outrances qui pèsent sur les pêcheurs, il existe un code moral tacite qui oblige à ne pas dépasser un certain poids au bout de la ligne. Pour représailles, devant l'affront, Brodain répondit à l'hyperbole par l'énormité.

– Dans la rivière du village, j'ai attrapé un fanal à l'huile allumé !

Ça mordit à l'hameçon.

– Z'allumé, le fanal ? demanda le curé, perplexe.

– Allumé, assura Brodain.

Le curé hésitait. Laps d'attente… Le fanal allumé dans la rivière, il tentait bien de se le forcer dans la croyure, mais ça ne voulait pas entrer par son trou de foi ordinaire. Quelque chose le bloquait dans la confusion de la flamme aquatique. Déchiré entre le doute et la bonté divine, à trop se débattre, il alla jusqu'à coincer. Quand il commença à manquer de souffle, Brodain imposa son quota de prêche au curé.

– Si vous enlevez dix livres à votre photo de poisson, m'sieur le curé, je vais éteindre mon fanal !

Le marché fut conclu sans aucune négociation. Brodain, pour montrer sa bonne foi de morue, leva l'ancre le jour même et reprit la coutume des messes à bon port. Par les années qui suivirent, les sermons de pêche demeurèrent réguliers, mais les miracles furent plus modérés.

– Pour un vrai pêcheur, c'est pas le poisson qui est important, mais ce qu'on en dit…

L'espérance de vie

À Saint-Élie-de-Caxton, les saisons passent. On a beau habiter loin, le temps ne manque pas de faire le détour pour collecter son dû à chaque tour d'âge. Le curé n'était déjà plus neuf, l'asphalte craquait dans la côte et le coq d'Eugène ne se réveillait même plus le matin. Brodain avait mûri au rythme des gains en rides et pertes en cheveux. Sage.

— On va pas mourir vieux, alors autant vivre longtemps !

Vieillissant et vacillant, il ne perdit rien de son penchant pour le bonheur. L'expérience aidant, il réussit même à atteindre des sommets dans l'équilibre philosophique.

**

Toutes ces années, Brodain avait élevé sa famille et prospéré de commerce sans plus jamais manquer aucune des messes dominicales à domicile. Il avait appris à ne plus prendre d'affront les sermons et s'en portait mieux. Il préférait maintenant se conforter plutôt que se confronter.

Quand les paroles du curé lui frisaient les oreilles, il appliquait sa théorie du «Bon Dieu qui voit en double» et rêvait de bon sens. Toutes les peurs et culpabilités églisiales, il se les séparait de bon grain et d'ivresse. Au sortir des offices, il placotait d'espérances et répandait les sourires. Tranquillement, les parlures prenaient le pas sur les grands maux et les rêves redonnaient du lousse aux jours du monde.

**

La lecture de l'Apocalypse, à chaque fois, ça décourageait le village pour des semaines. Le curé retontissait à l'église rouge comme une tomate et il manquait de s'enfarger dans les marches de l'autel. L'assistance pressentait déjà le jugement dernier. Les points de l'ordre du jour déroulaient vite, la chorale chantait à f-fwd (▶▶) et on aboutissait dans le temps de le dire au moment tant tendu. Le curé, toujours écarlate, déballait alors une ruche de fiel, une semonce germée, une furie bondée.

– LA FIN DU MONDE Z'EST PRÉVUE POUR BIENTÔT !

Ce jour-là, le curé frappa fort sur la fin des temps. L'angoisse avait atteint tout le monde dans la nuque. Brodain, lui, souriait.

– LA FIN DU MONDE Z'EST PRÉVUE POUR TRÈS BIENTÔT !

Les têtes se tournaient vers les pieds, s'offrant les cous aux coups de l'épilogue. Brodain, lui, riait.

– LA FIN DU MONDE Z'EST PRÉVUE POUR TRRRÈS BIENTÔT Z'ET ÇA VOUS FAIT RIRE, M'SIEUR TOUSSEUR?

Silence et toussotements…

– Vous vous en faites pour rien, m'sieur le curé… À Saint-Élie-de-Caxton, on est en retard de 20 ans sur tout ce qui se passe! Ça me surprendrait pas qu'on va tous mourir avant que la fin du monde arrive jusqu'ici!

**

Dans mon village, les saisons passent, mais les raisons d'espérer demeurent. Grâce à Brodain, la fin du monde fait maintenant partie de nos mauvais souvenirs.

Épitaphe

Par l'ouïe, avec l'ouïe et en l'ouïe. Et c'est le moins que l'on puisse lire. À Saint-Élie-de-Caxton, les inusités de Brodain continuent de circuler, par bonds dits, au gré des souvenirs et des inspirations. Pour ne rien perdre, on se les garde à l'oreille. C'est le mieux qu'on a trouvé, parce qu'on sait bien que le nerf auditif perce loin.

Chaque fois qu'on les réentend, ses histoires se transforment un peu plus pour éviter de devenir des habitudes. Elles gagnent en tournures, mais ne perdent jamais cette déviation de l'idée, cet angle rare d'aborder les jours qu'avait Tousseur. Chez nous, ça fait partie des histoires qui pétillent dans la bouche.

Ces traces qu'on retrouve, ces pensées biscornues, théories bizarres et analyses déviantes, elles se multiplient et se nourrissent pour former une philosophie fantaisiste, toute juste et plus vaste qu'on imagine. Les éclaboussures, ça sert à tirer les joints dans les brèches de jours gris.

— Je suis pas un penseur, qu'il disait, mais je fais du pensement !

* *

Toussaint Brodeur est décédé en 1988. Sa pierre tombale demeure facile à trouver : dans le cimetière du village, c'est la seule qui n'est pas dans le même sens que les autres. À l'enterrement, sa famille, ses proches et même le curé furent d'accord avec cette façon de lui conserver son souci du travers. Si ce fut de la réconciliation, c'est tant mieux. À mon idée, ça reste une preuve que son bonheur aura eu le dernier mot.